U0183392

大艺术家讲萌趣动物

[法] 蒂埃里·德迪厄◎著/绘　　郑宇芳◎译

四川科学技术出版社

写在前面的话

《美丽中国》纪录片副导演　杨晔

从我记事开始，动物总是相伴于我的生活和成长。下雨天，门前马路上跳过的青蛙，动物园里在笼中徘徊的黑豹，小学毕业旅行时在青海湖见到的一群斑头雁，初中在操场做操时飞过树林的一只大猫头鹰……这些记忆伴随着我的成长，为一个孩子的童年带来了无限的快乐和梦想。

那时，互联网还没有普及，想要了解动物知识并非易事，介绍动物的科普书大部分是文字版的，而且充满了各种专业名词，对于一个刚刚识字的孩子来说，只能望书兴叹。毕业后，我进入英国广播电视公司（BBC）自然历史部，从事野生动物纪录片的相关制作工作。在工作之余的闲暇时光，我和同事们一起吃饭聊天，才知道他们并不一定是野生动物专业科班出身，但他们从小都非常热爱自然、热爱动物。他们通过各种渠道来了解动物们的种种故事，而图书，特别是那些制作精美、画面生动的科普图画书，曾在他们幼小的心灵里播撒下了科学的种子，激起了他们对自然的热爱、对动物保护的兴趣，促使他们将这种热爱和兴趣发展成为职业，从而开始了动物保护事业。

今天，我很高兴可以和大家聊聊这样的科普图画书。这套《大艺术家讲萌趣动物》由法国著名的艺术家、图画书作家蒂埃里·德迪厄创作，他在法国享有盛

名，曾荣获女巫奖、龚古尔文学奖等重要奖项。为了表彰他在儿童文学领域取得的巨大成就，2010年，他被授予法国儿童图书大奖——“魔法师特别大奖”。他的画风简洁、活泼可爱，文笔则透露出机智和幽默，深受小朋友们的喜爱。这套专门为学龄前儿童创作的图画书简约但不简单，作者精心选取了自然界中孩子们最感兴趣的多种动物，用幽默风趣的绘画和简洁明了的文字描绘了这些动物或广为人知，或普通人鲜有耳闻的行为和习性，从而帮助孩子们走近和了解这些动物。通过阅读这些书，孩子们了解到：童话中的大灰狼在现实中也有它害怕的天敌；勤劳的蜜蜂是舞蹈高手，因为它们要通过跳舞来传递信息；大猩猩和人类一样，也会使用工具；雄狮的工作不是捕食，而是巡视领地……这些知识对孩子们而言十分容易理解和接受，孩子们通过阅读，能感受动物世界的神奇与美好，而这也正是作者希望通过这些书传递给小读者们的情感。

作为一名科普教育工作者，我为孩子们有机会读到这样的优质图书而高兴。希望孩子们在阅读之后，能更好地感知和认识动物的生存价值，尊重和爱护它们；将动物当作人类真正的朋友，不去伤害它们，和它们和平共处，共同维护更加美好的地球家园。

让我们一起走进美好的动物世界，去感受自然的神奇和伟大吧！

“为了近距离观察狼，我把自己化装成了羊。”

狼能够用多种叫声来进行交流：

咕咕、呜呜、嗷呜，等等。

狼是群居动物。

每个狼群有一个首领。

狼喜欢排成一队，

一只跟着一只。

狼在夜晚也能看得很清楚。

狼通过撒尿的方式圈出地盘。

狼的自然寿命是12~16年。

长久以来，

狼一直是猎人的狩猎目标，

因为猎人想得到狼皮。

狼的视觉、嗅觉和听觉都很发达。

它的下颌骨很强壮。

它能够跑很长时间都不觉得累。

狼是“动物超人”！

狼集体外出捕食猎物。

在传说和童话中，
孩子们都很害怕
狼这个“大坏蛋”。

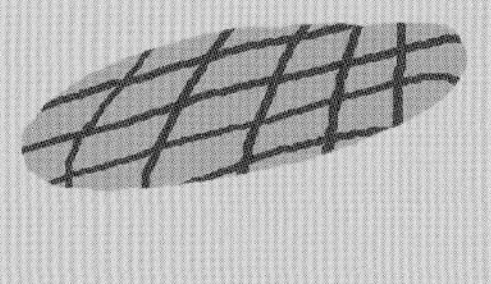

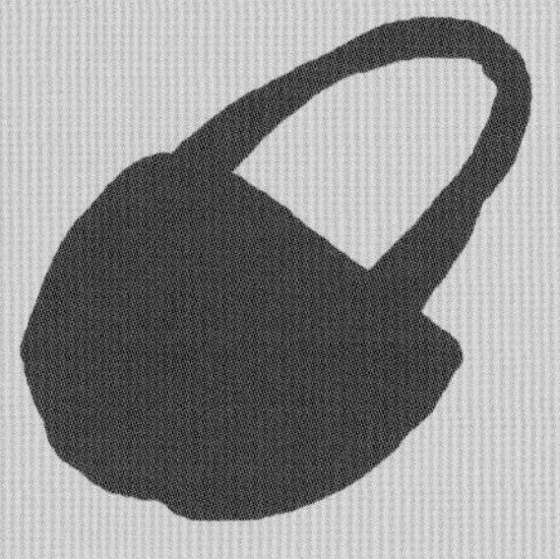

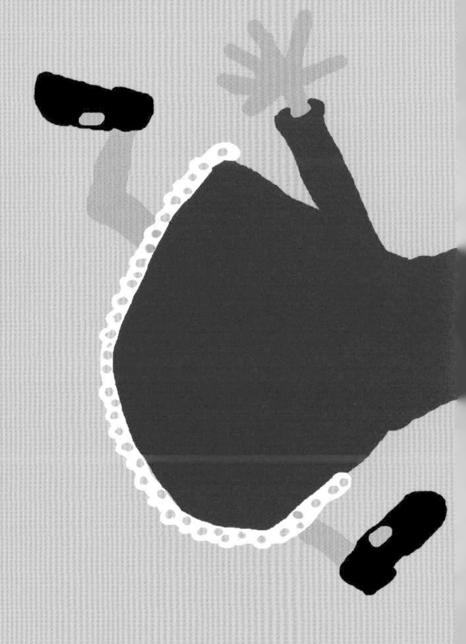

“我不是羊！

我只是穿错了外套！”

大家应该都听过《小红帽》的故事吧？在这则流传已久的经典童话里，狼被刻画成凶残、狡诈的模样。可在真实的自然环境下，狼真正的习性是什么样的呢？

作为高度进化的狩猎者，狼充分地体现了生物对环境的高度适应。作为一种肉食性动物，狼并不是跑得最快、力量最大、跳得最高的动物，也不善于伏击和隐藏。但虽然它们并不是样样精通，却有着无与伦比的耐力和团队协作精神。在追逐猎物的时候，狼群保持着超强的持久力，一般会分成几个小分队轮流围攻，没有丝毫的疲倦和放松，直到获胜或猎物完全逃脱为止。

我们往往认为狼是害兽，主要原因是狼会危害家畜，趁农户不注意的时候偷偷叼走羊。其实这并非全是狼的过错，部分原因是人类的活动范围不断扩大，侵入了它们的领地，使它们原本的猎物，比如鹿、羚羊、兔等日益减少，食物需求远远不能够得到满足，为了生存，它们只好改变捕食策略，偷食圈养的牲畜来填饱肚子。

作为食物链和生态环境控制的重要环节，狼可以帮助人类筛选出优秀的草食动物，及时清除患病个体，避免瘟疫横行；良好的纪律性和团队协作能力也让一些狼成为被人类驯化的动物之一。

这就是富有传奇色彩的狼。

图书在版编目（CIP）数据

大艺术家讲萌趣动物．狼 /（法）蒂埃里·德迪厄著、绘；郑宇芳译．-- 成都：四川科学技术出版社，2021.8
ISBN 978-7-5727-0206-8

Ⅰ．①大… Ⅱ．①蒂… ②郑… Ⅲ．①动物 - 儿童读物②狼 - 儿童读物 Ⅳ．① Q95-49 ② Q959.838-49

中国版本图书馆CIP数据核字(2021)第156540号

著作权合同登记图进字21-2021-250号

大艺术家讲萌趣动物·狼
DA YISHUJIA JIANG MENG QU DONGWU · LANG

出品人	程佳月		
著　者	［法］蒂埃里·德迪厄		
译　者	郑宇芳		
责任编辑	梅　红		
助理编辑	张　姗		
策　划	奇想国童书		
特约编辑	李　辉		
特约美编	李困困		
责任出版	欧晓春		
出版发行	四川科学技术出版社 成都市槐树街2号　邮政编码：610031 官方微博：http://weibo.com/sckjcbs 官方微信公众号：sckjcbs 传真：028-87734035		
成品尺寸	180mm × 260mm	印　张	2
字　数	40千	印　刷	河北鹏润印刷有限公司
版　次	2021年10月第1版	印　次	2021年10月第1次印刷
定　价	16.80元	ISBN 978-7-5727-0206-8	

本社发行部邮购组地址：四川省成都市槐树街2号　电话：028-87734035　邮政编码：610031